FROM THE LIBRARY OF

David Hernandez

© Editores Mexicanos Unidos, S. A. Luis González Obregón 5-B. Col. Centro
Delegación Cuauhtémoc. C.P. 06020. Tels.: (5)521-88-70 al 74
Fax: (5)512-85-16   e-mail: editmusa@mail.internet.com.mx

Miembro de la Cámara Nacional de la Industria Editorial, Reg. No. 115

Diseño de portada: Mabel Laclau Miró

Ilustración: "Zodiaco, 1896", Alfóns Mucha

ISBN 968-15-0308-2

1a Reimpresión Enero 2005

Impreso en México
Printed in Mexico

Antología poética e ideario de

Amado Nervo

editores mexicanos unidos, s.a.

AMADO NERVO

Amado Nervo nació en Tepic, capital del Estado de Nayarit, el 27 de agosto de 1870.

Alma mística y religiosa por naturaleza, durante algunos años siguió la carrera eclesiástica y estuvo a punto de vestir el hábito sacerdotal.

En 1906 ingresó al Cuerpo Diplomático, desempeñando importantes misiones que lo mantuvieron alejado de su Patria. Radicó en Madrid y en París. En la capital francesa (*"Una noche en que mi alma estaba muy sola y muy triste"*) conoció a la mujer, cuya muerte, había de cambiar el curso vital de su obra poética: Ana Cecilia Luisa Dailliez, musa cierta de su "Amada Inmóvil", la obra elegíaca más profunda y conmovedora de la literatura hispanoamericana.

El 24 de mayo de 1919, murió en Montevideo; a la sazón ocupaba el cargo de Ministro Plenipotenciario de México en esa República hermana.

La obra de Amado Nervo se reparte entre los más diversos campos de la producción literaria. Unos treinta volúmenes recojen esa fecunda y heterogénea actividad creadora: hay novelas, cuentos (al modo de H. G. Wells), crónicas, ensayos, crítica y hasta una pieza teatral. Su poesía "en verso" abarca un área considerable dentro de su totalidad.

La línea de su evolución poética, según la admirable síntesis de Anderson Imbert, *va de la opulencia a la sencillez, de lo sensual a lo religioso, del juego a la sobriedad.*

Nervo se inicia fundamentalmente bajo el signo de la preceptiva modernista. Dentro sus moldes retóricos nos ofrece lo más brillante de su producción (*Perlas Negras*, 1898, *Poemas*, 1891; *Jardines Interiores*, 1905), lo cual no significa que sea lo mejor y lo más substancial de su obra.

En medio de su opulencia y fastuosidad, hay algo de falso en el modernismo que deja insatisfechos a los espíritus exigentes de "esencialidad", como el de Amado Nervo.

A partir de   (*En Voz Baja*), se inicia un cambio fundamental de estética; algunos autores, calando más hondo, hablan de "crisis moral", lo cierto es que se iniciaba la metamorfosis de su poética. Nervo se desnuda, se despoja de cuanto signifique artificio, verbalismo, esplendor de forma; su máxima preocupación se cifra en dar a su poesía pleno sentido humano. En ese esfuerzo de superación alcanza las cimas de lo sublime; logra lo que él ha llamado, sin rehuir responsabilidades ante el tribunal de la crítica, *su prosa rimada*: poesía de ardiente savia espiritual y honda resonancia lírica, ajena por completo a los subterfugios verbales y a las bravatas colorísticas de la técnica modernista.

¿Es romántico, es clásico, es popular? Después de sus veleidades en el campo del modernismo, creemos que su obra escapa a todo intento de clasificación. El propio Nervo, en una composición harto significativa por lo que tiene de programa estético, **expresamente** lo declara:

_____ *Amén* _____

Lector: este libro sin retóricas, "sin procedimientos", sin técnica, sin literatura, sólo quiso una cosa: elevar tu espíritu. ¡Dichoso yo si lo he logrado!

M. G.

TENUE

Un eco muy lejano,
un eco muy discreto,
un eco muy suave:
el fantasma de un eco...

Un suspiro muy débil,
un suspiro muy íntimo,
un suspiro muy blando:
la sombra de un suspiro.

Un perfume muy vago,
un perfume muy dulce,
un perfume muy leve:
el alma de un perfume...

son los signos extraños que anuncian
la presencia inefable de *Lumen*.

TRISTE

Mano experta en las caricias
labios, urna de delicias,
blandos senos, cabezal
para todos los señores,
ojos glaucos, verdes mares,
verdes mares de cristal...

Ya sois idas, ya estáis yertas,
manos pálidas y expertas,
largas manos de marfil;
ya estáis yertos, ya sois idos,
ojos glaucos y dormidos
de narcótico sutil.

Cabecita auri-rizada:
hay un hueco en la almohada
de mi tálamo de amor;
cabecita de oro intenso
¡qué vacío tan inmenso,
tan inmenso, en derredor!

MAS ALLA

Más allá del credo por el sol cribado,
más allá del monte por la nieve hopado
que los frescos valles custodiado está,

más allá

Más allá de aire cuyas nubes puras
gráciles erigen sus arquitecturas,

más allá

Más allá del Cosmos, forjador potente
de mundos y soles, que en resplandeciente
fuga de oro y plata desgranando va,

más allá

Tristemente radia mi quimera hermosa,
siempre inaccesible, siempre luminosa,

más allá

AMADO NERVO

GUERRERO Y FRAILE

Paseó dondequiera su airón de plumas,
sus mesnadas briosas y sus pendones,
y, ansioso de conquistas, a cien naciones
sometió al vasallaje que las abruma.

Después, atormentado por la reuma,
que no por religiosas meditaciones,
confinó sus guerreras inclinaciones
en la celda de un claustro lleno de bruma.

Allí comiendo el blanco pan eucarístico,
vegeta, consumido de tedio místico,
delira del combate con el estrago;
a la voz que le manda llorar su hierro
contesta con taimado: *desperta ferro,*
y en vez de Jesucristo reza a Santiago.

MADRIGAL ALTERADO

Tu blancura es reina,
tu blancura reina,
¡oh nacarada, oh alba como el alba que sus oros
(despeina!

Tu piel, oh mi Blanca,
como el alba blanca
del níveo albatros que adora las espumas, luce franca.

Oh, Blanca de Nieve,
haz que en mi alma nieve
el cándido fulgor de tu imagen casta y leve.

Solitaria estrella,
mis noches estrella
con esa pensativa luz ideal tan bella

Margarita de oro,
altar en que oro:
la sutil rima brote como brote otoñal.

y a tu alma se prenda,
y en amor la prenda
y sea la prenda,
de mi vida inmortal.

LUCIERNAGAS

I

—Bardo, ¿cuál es tu estandarte?
—Muchos son los que enarbolo.
—¿Qué mentor ha de guiarte?
—Ninguno: en amor y en arte
me deleita viajar solo.

V

Pelear como Jacob,
cantar como Anacreonte,
reír como Xenofonte,
lamentarse como Job

embelesar como Armida,
navegar como Jonás:
¡eso es vida!... Lo demás
es limosna de la vida.

VI

Tus ojos: clara piscina
donde abreva el ideal.
Tu mirada ¡un madrigal!
de Gutierre de Cetina!

NOCHE ARTICA

En el cenit azul, blanco en el yerto
y triste plan de la sabana escueta;
en los nevados témpanos violeta
y en el confín del cielo rosa muerta,

despréndense la luna del incierto
sur, amarilla; y en la noche quieta,
de un buque abandonado la silueta
medrosa se levanta en el desierto.

Ni un rumor... el Silencio y la Blancura
celebramos ha mucho en la infinita
soledad los arcanos esponsales,

y el espíritu sueña en la ventura
de un connubio inmortal con Seraphita
bajo un palio de auroras boreales.

REBELION

Ni preceptos, ni pragmáticas, ni cánones, ni leyes:
nací esquivo, tú lo sabes, y ni doy ni exijo pauta:
mi melena es tanto como las coronas de los reyes:
no hay Dalila que la corte... Déjame tocar mi flauta.
 ¿Cortarías por ventura la radiante cabellera
de mi amado, el sol eterno, mi Absalón, con tu tijera;
¡No por cierto! ¿Callarías de los vientos el acento?
¡No por cierto! Pues habiendo viento y sol en mi
                                                    (pradera
mi melena tendrá nimbos y mi flauta tendrá viento.
 ¿Que aún hay aire? ¡Pues yo soplo! Bellas Instru-
                                                    (mentaciones
vas a oír con el concurso de la tórtola, que incauta
está en medio del ramaje goteando sus canciones.
¡Yo soy fuerte, yo soy libre!
                            Déjame tocar la flauta.

GALARDON

El ejército enemigo destruyó la barbacana,
ya los fosos se colmaron de cadáveres rivales
y la inmensa catapulta, del estrago soberana,
lanza teas encendidas y granitos colosales.

Los custodios del castillo desesperan: sangre mana
de sus pechos a torrentes, sus heridas son mortales...
Mas asoma de improviso la soberbia castellana
tras la ojiva de una torre, y así dice a sus leales:

—"Defensores, ¡sus! a ellos! Heme juez de vuestro
(brío;
al guerrero más osado, rey haré de mi belleza,
dueño haré de mis primicias, seré suya, será mío..."

Resurgió, cual por ensalmo, de los mozos la fiereza,
y al fulgor rojo incendio vióse huir con desvarío
las mesnadas agresoras, a través de la maleza.

Claroscuro

Golondrina de bronce refugiada
en la torre mayor de la parroquia
la campana, en la fresca madrugada,
    soliloquia.

Rebujada en el manto de merino
que su rostro miréfico recata,
acude a misa del hogar vecino,
    la beata.

Pálida de fervores como cirio,
consumida del celo que le abrasa
cual pasa una visión por un delirio,
    así pasa.

Va temblando de amores a la mesa
donde el manjar divino se divulga:
tan sólo Cristo Rey sus labios besa
    si comulga.

NEBULA

¡Y tu mano infantil, con que deshojas
mis tristezas como una flor obscura!
Y tus labios, que son dos alas rojas
con que vuelan tus besos...

Y tu albura

    tan pura,
que al bañarme en sus limbos me parece
que mi propia miseria se emblanquece,
y mira tú si es negra.

... ¿Cuerdo, loco?

    ¿Verdad o devaneo?
Si eres sueño no más, ¿por qué te toco?
Si eres carne, ¿por qué no te poseo;

¡Defínete! Precisa

  tu ser: ¿Un angel? Puedo
hurtarme de las nubes tu sonrisa.
¿Mujer? ¡Entonces ven! ¡Aprisa! ¡Aprisa!
Soy huérfano, estoy solo y tengo miedo.

AMADO NERVO

SONETINO

Alba en sonrojos
tu faz parece:
¡no abras los ojos,
porque anochece!

Cierra —sin enojos
la luz te ofrece—
los labios rojos,
¡porque amanece!

Sombra en derroches,
luz: ¡sois bien mías!
Ojos obscuros:

¡muy buenas noches!
Labios maduros:
¡muy buenos días!

LAS SIRENAS

En las ondas del verde caimanero,
estriadas de luz en áureas venas,
un grupo bullicioso de sirenas
juega y canta su canto lisonjero.

Es la luna de nácar las serenas
extensiones del golfo, de iris plenas,
finge hervores de perlas cada estero.

Dos sirenas del coro se retiran:
se quieren y se atraen tornan, giran,
se besan en los labios escarlata.

sumérgense abrazadas en la olas,
y resurgen unidas sus dos colas
como una lira trémula de plata.

EL VIEJO SATIRO

En el tronco de sepia de una encina
que lujuriosa floración reviste,
un sátiro senil, débil y triste,
con gesto fatigado se reclina.

Ya murió para él la venusina
estación. Afrodita no le asiste
ni le quieren las ninfas... ya no existe
el placer, y la atrofia se avecina.

Sin estímulo ya, sin ilusiones,
apoya entre los dedos los pitones,
encoge las pezuñas, con marasmo

entrecierra los ojos verde umbrío,
y pasa por su rostro de cabrío
el tedio de una vida sin espasmo.

EL HEROE

¿Qué caeré? ¡Puede ser! Mas impotente
en mi mudo reproche, iré a la tumba:
nací roca enemiga del torrente,
¡tu sabrás si el torrente me derrumba!

"Erguí mi mole y afilé mi diente,
y el titán, que me odia, ruge, zumba,
culebrea, vacila en la pendiente
y me ensordece al fin con su balumba.

"Mas cuando pasa el aluvión inmenso
yo estoy de pie y tranquilo, porque pienso
que fuera insensatez —¡oh Dios que fraguas
contra cada opresión un heroísmo!—,
ponerme con coto en el abismo
para hundirme después bajo sus aguas..."

AMADO NERVO

ANDROGINO

Por ti, por tí, clamaba cuando surgiste,
infernal arquetipo, del hondo Erebro,
con tus neutros encantos tu faz de efebo,
tus senos *pectorales* y a mí viniste.

Sombra y luz, yema y polen a un tiempo fuiste,
despertando en las almas el crimen nuevo,
ya con virilidades de Dios mancebo,
ya con sus mustios halagos de mujer triste.

Yo te amé porque, a trueque de ingenuas gracias,
tenías las supremas aristocracias:
sangre azul, alma huraña, vientre infecundo;
porque sabías mucho y amabas poco,
y eras síntesis rara de un siglo loco
y floración malsana de un viejo mundo.

ABANICO

Flamean coruscantes las chaquetillas,
la luz sobre las ropas tiembla y resbala,
y fingen pirotecnias las banderillas
y auroras las bermejas capas de gala.

El sol arde en los ojos de las sombrillas,
el clarín su alarido de muerte exhala,
y el diestro ante los charros y las mantillas,
a la bestia que muge brinda y regala.

En tanto una damita, toda nerviosa,
se cubre con las manos la faz de hermosa
que marcan los cariales de seda y oro,

y entreabre en abanico los leves dedos,
para ver tras aquella reja, sin miedos,
cómo brota la noble sangre del toro.

MANCHON

Cuando viene a misar el padre cura
a la nave risueña y aliñada,
penetra con el sol una parvada
de palomas que anidan en la altura

Desata el piano su oración alada,
y del gótico altar en la blancura
cándida, leve, inmaterial y pura
se levanta la forma consagrada.

Canta entonces el blanco sus cantares,
son blancos: alas, nave, luz, altares,
hostia, cura, senil incienso vago;

y en esa nitidez que al hielo enoja,
agresiva y vivaz, llameante, roja,
se destaca la veste del monago.

OH, LA RAPAZA

Oh, la rapaza de quince abriles,
asustadiza como las corzas
y los antílopes...

                ¡No, no duquesas ni damiselas
llenas de nervio y de melindres,
de carnes flácidas,
embadurnadas de crema y tintes!

¡Estoy cansado de *pose* y de seudo
refinamiento, de esnobs y títeres!

    Dame tu boca tan fresca,
    dame tus brazos, tan firmes,
    dame tus ojos,
    dame tu cuello
    ¡dáteme toda tú, virgen!

CUANDO EL SOL VIBRA SU RAYO

Cuando el sol vibra su rayo
de oro vivo, de oro intenso,
de la tarde en el desmayo;
cuando el sol vibra su rayo,
        ¡pienso!

Pienso en ti, la Deseada
que mi amor buscando va
con nostálgica mirada;
pienso en ti, la Deseada,
y pregunto: ¿no vendrá?

Cuando estoy febricitante
en los brazos del Ensueño
que me lleva muy distante;
cuando estoy febricitante,
        ¡sueño!

Sueño en hombros fraternales
donde al fin reposarán
mis cansados ideales;
sueño en hombros fraternales
y pregunto: *¿no vendrá*

. Cuando estoy enfermo y triste
y es inútil mi reclamo
porque al fin tú no viniste;
cuando estoy enfermo y triste,
        ¡amo!

Amo el beso de la Muerte,
que mañana entumirá
mi avidez por conocerte;
amo el beso de la Muerte
y me digo: ¡sí vendrá!

YO VENGO DE UN BRUMOSO
PAIS LEJANO

Yo vengo de un brumoso país lejano,
regido por un viejo monarca triste...
Mi numen sólo busca lo que es arcano,
mi numen sólo adora lo que no existe;

tú lloras por un sueño que está lejano,
tu aguardas un cariño que ya no existe,
se pierden tus pupilas en el arcano
como dos alas negras, y estás muy triste.

Eres mía; nacimos de un mismo arcano
y vamos, desdeñosos de cuanto existe,
en pos de ese brumoso país lejano
regido por un viejo monarca triste...

VIEJO ESTRIBILLO

¿Quién es esa sirena de voz tan doliente,
de las carnes tan blancas, de la trenza tan bruna?
—Es un rayo de luna que se baña en la fuente,
     es un rayo de luna...

¿Quién gritando mi nombre la morada recorre?
¿Quién me llama en las noches con tan trémulo acen-
                                              (to?

—Es un soplo de viento que solloza en la torre,
     es un soplo de viento...

¿Di, quién eres, arcángel cuyas alas se abrasan
en el fuego divino de la tarde y que subes
por la gloria del éter?

     —Son las nubes que pasan;
  mi bien, son las nubes...

¿Quién regó sus collares en el agua, Dios mío?
Lluvia son de diamantes en azul terciopelo.

Es la imagen del cielo que palpita en el río,
es la imagen del cielo...

¡Oh, Señor! ¡La belleza sólo es, pues, espejismo!
Nada más Tú eres cierto, sí Tú mi último Dueño.
¿Dónde hallarte, en el éter, en la tierra, en mí mismo?
—Un poquito de ensueño te guiará en cada abismo,
un poquito de ensueño...

LA NOVIA

Vigilate, quia nescitis qua hora
Dominus venturus sit.

Mat. XXIV.

La sutil destemplanza de una tarde marcera
enfermó sus pulmones; su invisible puñal
le clavaron los cierzos en la espalda de cera,
y hela allí entre las rosas que ofreció primavera,
cual friolentas primicias para su funeral...

El ajuar de la novia terminado se hallaba,
y ya el novio, impaciente, con febril anhelar,
los minutos, las horas y los días contaba.
El ajuar de la novia terminado se hallaba
cuando vino el Esposo que no sabe esperar...

Cuando vino el Esposo que nos hiela el deleite,
que sorprende a las vírgenes en la noche falaz.
y requiere las lámparas que no tienen aceite...
¡Cuando vino el Esposo que nos hiela el deleite
y nos sella los labios con un beso de paz!

Ella supo, no obstante, cuál sería su sino;
la voz queda de un ángel al oído le habló
y le dijo: "No temas; será blando el camino,
y tu beso de bodas el más dulce y divino
de los besos de bodas..."

Y sonriendo murió.

REQUIES DELECTABILIS

Encastillé mi vida en la tristeza
como un huerto sellado
en que el lirio del sueño reflorece,
en donde un soplo ledo
pasa y mi frente pensativa orea,
impregnado de aroma y poesía.

¡Oh, perenne inquietud de aquellas horas
en que, el amor buscado,
mi fe, cual la verdura de las eras,
iba languideciendo: no más resurgiréis: hallé mi vía
iluminada por la luz febea!

AL VIENTO Y AL MAR

Poco sé decir,
poco sé pensar:
al viento y al mar
les voy a pedir
mi nuevo cantar.
¡Al viento y al mar!
Al agua y al viento
fío el pensamiento
de mis nuevas rimas,
(¡Oh mar, cuéntame un cuento!'
A la onda enorme
y a la racha informe,
a cimas y a simas.

¡Oh, viento, compadre
de veleidad!
¡Oh gran onda, madre
de la humanidad!

Quiero, viento y onda,
vuestra poesía...
(¡Viento, cuéntame un cuento!)

Oh mar, dame un ritmo de belleza rara.
dame tu sal para
mi desabrimiento
y un amor que arrullo mi melancolía

¿POURQUOI FAIRE?

¡Por qué ir a otra estrella!
¡Qué veremos en ella!
Lucha, injusticia y llanto (si hay una humanidad),
paisajes semejantes a los de este planeta:
bellos, cuando fingidos por mente de poeta,
pero tal vez monótonos, tristes en realidad.
¡Por qué ir a otra estrella!
¡Qué veremos en ella!
¡No te dará ninguna lo que buscando vas!
todos esos planetas que al sabio maravillan,
¡qué son sino pedruscos que a la luz del sol brillan,
pedruscos, nada más!
¡Por qué ir a otra estrella!
¡Qué veremos en ella!
Si en ésta hay noches pródigas de tinieblas y horror
suframos sin reproches,
poniendo en esas noches
la casta lucecita de nuestro viejo amor.

EL DIA QUE ME QUIERAS

El día que me quieras tendrá más luz que junio;
la noche que me quieras será de plenilunio,
con notas de Beethoven vibrando en cada rayo
sus inefables cosas,
y habrá juntas más rosas
que en todo el mes de mayo.

Las fuentes cristalinas
irán por las laderas
saltando cantarinas
el día que me quieras.

El día que me quieras, los sotos escondidos
resonarán arpegios nunca jamás oídos.
Extasis de tus ojos, todas las primaveras
que hubo y habrá en el mundo, serán cuando me
(quieras.

Cogidas de la mano, cual rubias hermanitas
luciendo galas cándidas, irán las margaritas
por montes y praderas
delante de tus pasos, el día que me quieras...

Y si deshojas una, te dirá su inocente
postrer pétalo blanco: ¡Apasionadamente!

Al reventar el alba del día que me quieras,
tendrán todos los tréboles cuatro hojas agoreras,
y en el estanque, nido de gérmenes ignotos,
florecerán las místicas corolas de los lotos.

El día que me quieras será cada celaje

de las Mil y Una Noches; cada brisa un cantar,
cada árbol una lira, cada monte un altar.

El día que me quieras, para nosotros dos
cabrá en un solo beso la beatitud de Dios.

ES UN VAGO RECUERDO

Es un vago recuerdo que me entristece
y que luego en la noche desaparece:
que surge de un ignoto tiempo pasado,
que viene de muy lejos :
que llega de las sombras de un tiempo indefinido:
un recuerdo de algo muy bello ,que se ha ido
hace ya muchos siglos, hace... ¡como mil años!
Sutiles añoranzas y dejos muy extraños...

Es un vago recuerdo que me entristece
y que luego en la noche desaparece.
Es una vieja esencia que el alma me perfuma
y que se desvanece después entre la bruma,
es el matiz de un pétalo de rosa desvaído,
es un resabio como de un gran amor, perdido
del tiempo en la frontera,
donde está lo que ha sido,
lo que fue y lo que era...

Es un vago recuerdo que me entristece
y que luego en la noche desaparece...

MIS MUERTOS

*Vita mortuorum im memoria
vivorum est posita.*

Cicerón.

Alma, yo estoy unido con mis muertos,
con mis muertos tranquilos e inmutables,
con mis pálidos muertos
que desdeñan hablar y defenderse,
que mataron el mal de la palabra,
que solamente miran,
que solamente escuchan,
con su oído invisible y con sus ojos
cada vez más abiertos, más abiertos,
en la inmóvil blancura de los cráneos;
que en su posición horizontal, contemplan
el callado misterio de la noche
y oyen el ritmo de las diamantinas
constelaciones en el negro espacio.

Yo vivo con la vida que mis muertos
no pudieron vivir. Por ellos hablo,
y río por lo que ellos no rieron,
y por lo que no cantaron canto

y me embriago de amores y de ensueño
¡por lo que ellos no amaron ni soñaron!
—Este beso, me digo, es por Honorio,
que tanto ansió los besos, y por Claudio,
que amó tanto los versos, esta estrofa
recitaré en los bordes de este lago.
Por Antonio sediento de la sangre
del viejo vino, vaciaré mi vaso;
por Clara, que en las fiestas fue dichosa,
asistiré a los bailes y saraos,
y he de vivir en éxtasis por Blanca
que en éxtasis vivía, y remirando
me pasaré los lirios y las rosas,
por Berta, que gozaba en cautivarlos
y a quien cortó la muerte, como a lirio,
o como rosa mística, ha diez años...

Mientras yo viva vivirán mis muertos
y oiré en la sombra que me place tanto,
su voz sutil que me murmura: "¡Gracias!"
su tenue acento que me dice: "¡Amado!"

¡OH SANTA POBREZA···

¡Oh santa pobreza,
dulce compañía,
timbre de nobleza,
cuna de hidalguía:
ven, entra en mi pieza,
tiempo ha no te veía!

Pero te aguardaba,
y austero pasaba
la existencia mía.

¡Oh santa pobreza,
crisol de amistades,
orto de verdades,
venero de alteza
y aguijón de vida:
ven, entra en mi pieza,
seas bienvenida!

Callado y sereno
me hallarán, y lleno
del alto Ideal

que en los rubios días
de mis lozanías,
y ahora, en mi ocaso,
aviva mi paso
por el erial.

¡Oh santa pobreza,
dulce compañía:
ven, entra en mi pieza,
tiempo ha no te veía!

LANGUIDEZ

Yo no sé si estoy triste
porque ya no me quieres
o porque me quisiste,
¡Oh frágil entre todas las mujeres!

Ni sé tampoco
si de ti lo mejor es tu recuerdo
y si al adorarte fui cuerdo
y si al olvidarte soy loco.

Un suave desgano
de todo amor, invade el alma mía
¡qué grande y qué falaz era el océano
en que nos internamos aquel día,
los ojos en los ojos, y la mano en la mano!

Hoy siento que renace mi existencia
como una suma convalecencia...
¡llama soy que un suspiro apagaría!

Déjame junto a la ventana,
sorprender en el lampo que arde

los pensamientos de la tarde,
las locuras de la mañana.

Si estoy enfermo, llamaré a la hermana:
a la hermanita azul y blanca (y pura),
cuya dulce vejez, aún lozana,
tiene la grave y plácida mesura
de Señora Santa Ana...

SILENCIOSAMENTE...

Silenciosamente miraré tus ojos,
silenciosamente cogeré tus manos,
silenciosamente,
cuando el sol poniente
nos bañe en sus rojos
fuegos soberanos,
posaré mis labios en tu limpia frente,
y nos besaremos como dos hermanos.

Ansío ternuras castas y cordiales,
dulces e indulgentes rostros compasivos,
manos tibias..., ¡tibias manos fraternales!;
ojos claros..., ¡claros ojos pensativos!

Ansío rezagos que a entibiar empiecen
mis otoños; almas que con mi alma oren:
labios virginales que conmigo recen;
diáfanas pupilas que conmigo lloren.

CORAZON

Corazón, sé una puerta cerrada para el odio:
de par en par abierta siempre para el amor.
Sé lámpara de ensueños celestes, y custodio
de cuanto noble germen nos prometa una flor.

Corazón, ama a todos, late por todo anhelo
santo, tiembla con todo divino presentir;
da sangre a cuanto impulso pretenda alzar el vuelo;
calor a todo intento de pensar y vivir.

Sé crátera de vino generoso, que mueva
a los grandes propósitos. Sé vaso de elección,
en donde toda boca sedienta la fe beba
Sé roja eucaristía de toda comunión,
corazón.

EN PAZ

Artifex vitae, artifex sui

Muy cerca de mi ocaso, yo te bendigo. Vida,
porque nunca me diste ni esperanza fallida
ni trabajos injustos, ni pena inmerecìda.

Porque veo al final de mi rudo camino
que yo fui el arquitecto de mi propio destino;
que si extraje las mieles o la hiel de las cosas
fue porque en ellas puse hiel o mieles sabrosas;
cuando planté rosales coseché siempre rosas.

. . . Cierto, a mis lozanías va a seguir el invierno:
¡mas tú no me dijiste que Mayo fuese eterno!
Hallé sin duda largas las noches de mis penas;
mas no me prometiste tú sólo noches buenas;
y en cambio tuve algunas santamente serenas. . .

Amé, fui amado, el sol acarició mi faz.
¡Vida, nada me debes!, ¡Vida estamos en paz!

AUTOBIOGRAFIA

¿Versos autobiográficos? Ahí están mis canciones
venturosas, y a ejemplo de la mujer honrada,
no tengo historia: nunca me ha sucedido nada,
¡oh noble amiga ignota!, que pudiera contarte.

Allá en mis años mozos, adiviné el Arte
la armonía y el ritmo, caros al Musageta,
y, pudiendo ser rico, preferí ser poeta.
—¿Y después?
—He sufrido como todos y he amado.
—¿Mucho?
—Lo suficiente para ser perdonado....

SI, POBRE VIEJECITA

Sí, pobre viejecita, ¡ya ninguno te escucha!
Los fastidias a todos con tu buena memoria.
Tu lentitud es grande; su frivolidad, mucha...,
y te huyen porque siempre narras la misma historia.

Pero yo soy paciente, y sentado a tu puerta,
escucharé. No temas; puedes hablar tranquila,
mientras menea el viento las ramas de la huerta
y se muere a lo lejos un crepúsculo lila.

Déjalos que se vayan, en su atolondramiento,
a decir ellos y ellas, palabras mentirosas,
y cuéntame. abuelita tu mismo viejo cuento,
al compás de tus manos largas y sarmentosas.

HOJEANDO ESTAMPAS VIEJAS

Dime, ¿en cuál destas nobles catedrales,
hace ya muchos siglos, oh, Señora,
silencioso mirando los vitrales,
unimos nuestras manos fraternales
en la paz de una tarde soñadora?

Dime, ¿en cuál de los árboles copudos,
deste bosque, medrosos y desnudos,
oímos, en los viejos milenarios,
rugir a los leones solitarios
y aullar a los chacales testarudos?

Dí si en esta enigmática ribera
me esperabas antaño compañera,
sólo teniendo en noches invernales
por chal para tus senos virginales,
la húmeda y salobre cabellera.

¿En cuál destos torneos tus colores
llevé y en cuál castillo tus loores
entonaron mis labios halagüeños?
Y si nunca te vi ni te amé viva,
¿por qué hoy vas y vienes pensativa
por la bruma de nácar de mis sueños?

ENTONCES

Eres helada como los metales
y tu alma infantil y matutina
es clara aún como los manantiales.
¡Pero en llegando el amor, serás divina!

Angélica y Oriana,
Melisandra y Cordelia
Margarita y Ofelia,
te llamarán hermana.

¡Oh! ¡que no pueda yo, señora mía,
aguardar que el botón se vuelva rosa,
embotando del tiempo que me acosa
la tiranía!

Mas, cuando empiecen esas sombras soberanas
germinaciones de una savia loca,
ya regalarme no podrá tu boca
sino un beso de paz, sobre mis canas...

BENEDICTUS

Dios os bendiga a todos
los que me hicisteis bien.

Dios os bendiga a todos
los que me hicisteis mal, y que a vosotros,
los que me hicisteis mal, Dios os bendiga
más y mejor que a los que bien me hicieron;
porque éstos, ciertamente,
no han menester de bendición alguna,
ya que su bien en sí mismo llevaba
toda la plenitud y todo el premio.

¡Vosotros, sí los de mi mal autores,
necesitáis la bendición del Padre
que hace nacer el Sol para que alumbre
por igual a los malos y a los buenos!

Que se derrame, pues, en vuestras almas
la más potente de las bendiciones
divinas, y os dé el don por excelencia:
el don de comprender...

INTERROGACION

Si tus pálidas manos me bendicen,
iré tras de la esfinge, a los desiertos,
a preguntarle aquello que no dicen,
inexorables en callar los muertos.

Dame el odre y la alforja del romero
dame el nudoso báculo; pues quiero
ver esta misma tarde a la taimada,
¡y aunque sus uñas en mi clave airada,
sabré al fin por qué vivo y por qué muero!

No temeré tropiezos ni deslices,
ni emboscadas recelaré ni vanos
espectros, si tú, Santa, me bendices
con tus pálidas manos...

NOCTURNO

Y vi tus ojos: flor de beleño,
raros abismos de luz y sueño:
ojos que dejan el alma inerme,
ojos que dicen: duerme... duerme...

Pupilas hondas y taciturnas,
pupilas vagas y misteriosas,
pupilas negras, cual mariposas
    nocturnas.

Bajo las bandas de tus cabellos
tus ojos dicen arcanas rimas,
y tus lucientes cejas, sobre ellos,
fingen dos alas sobre dos simas.

¡Oh! plugue al cielo que cuando grita
la pena en mi alma dolida e inerme,
tus grandes ojos de sulamita
murmuren: "duerme"...

AMABLE Y SILENCIOSO

Amable y silencioso vé por la vida hijo.
Amable y silencioso como rayo de luna. . .
En tu faz, como flores inmateriales, deben
florecer las sonrisas.

Haz caridad a todos de esas sonrisas, hijo.
Un rostro siempre adusto es un día nublado,
es un paisaje lleno de hosquedad, es un libro
en idioma extranjero.

Amable y silencioso vé por la vida hijo.
Escucha cuanto quieran decirte, y tu sonrisa
sea elogio, respuesta, objeción, comentario,
advertencia y misterio. . .

NOCHE

¡Madre misteriosa de todos los génesis, madre
portentosa, muda y fiel de las almas excelsas;
nido inmensurable de todos los soles y mundos:
piélago en que tiemblan los fiats de todas las causas!

¡Oh camino enorme que llevas derecho al enigma;
reino de los tristes, regazo de nuestra esperanza;
taciturno amparo de males de amor sin remedio:
madrina enlutada de bellas adivinaciones;
ámbito en que vuelan las alas de azur de los sueños:
sean mis pupilas espejo que copie tus orbes;
sea tu silencio sutil comunión de mi vida;
sean tus arcanos divino aguijón de mi mente;
sea tu remota verdad, tras la tumba, mi herencia.

TEDIO

Magna me cibi satietas.

Tengo el peor de todos los cansancios:
¡el terrible cansancio de mí mismo!

Dónde ir que a mi propio no me lleve,
con el necio gritar de mis sentidos
y el vano abejear de mis deseos
y el tedio insoportable de lo visto
y el gran desabrimiento de los labios
después del amargor de lo bebido?

¡Oh! qué hambre de paz y de penumbra
y de quietud y de silencio altivo
y de serenidad... ¡Dormir, dormir!
¡Toda una eternidad estar dormido!

DIOS TE LIBRE POETA

Dios te libre, poeta,
de verter en el cáliz de tu hermano
la más pequeña gota de amargura.

Dios te libre, poeta,
de interceptar siquiera con tu mano
la luz que el sol regale a una criatura.

Dios te libre, poeta,
de escribir una estrofa que contriste;
de turbar con tu ceño
y tu lógica triste,
la lógica divina, de un ensueño;
de obstruir el sendero, la vereda
que recorra la más humilde planta;
de quebrantar la pobre hoja que rueda;
de entorpecer, ni con el más suave
de los pesos, el ímpetu de ur ave
o de un bello ideal que se levanta.

Ten para todo júbilo, la santa
sonrisa acogedora que lo aprueba;
pon una nota nueva
en toda voz que canta,
y resta por lo menos,
un mínimo aguijón a cada prueba
que torture a los malos y a los buenos.

MADRIGAL

Por tus ojos verdes yo me perdería,
sirena de aquellas que Ulises, sagaz,
amaba y temía.
Por tus ojos verdes yo me perdería.

Por tus ojos verdes en los que, fugaz,
brillar suele, a veces, la melancolía;
por tus ojos verdes, tan llenos de paz,
misteriosos como la esperanza mía;
por tus ojos verdes, conjuro eficaz,
yo me salvaría.

LO ETERNO

¿Vamos suprimiendo las dedicatorias,
amigos poetas? ¿Vamos suprimiendo
todos esos azúcares tontos,
ese adjetiveo
despreciando: los "grandes", eximios"
"eminentes", "geniales", "excelsos"...?

Una firma quizás... eso sólo;
y después de la firma, ¡talento!
La tesura serena del libro
y la gracia ondulante del verso.

PECAR...

En la armonía eterna, pecar es disonancia;
pecar proyecta sombras en la blancura astral.
El justo es una música y un verso, una fragancia
y un cristal.

En la madeja santa de luz de los destinos,
pecar es negro nudo, tosco nudo aislador.
Pecar es una piedra tirada en los caminos
del amor...

Pecar es red de acero para el plumaje ingrávido;
membrana en la pupila que quiere contemplar
el ideal; parálisis en el sueño ingrávido
membrana en la pupila que quiere contemplar
el ideal; parálisis en el sueño ingrávido
de volar.

¡Oh, mi alma!, ya no empañes tu pura esencia ig-
(nota;
no te rezagues de la banda, que veloz
traza una gran V trémula en la extensión remota.
¡Oh mi alma!, une al gran coro de los mundos la nota
de tu voz.

LIBROS

Libros, urnas de ideas;
libros, arcas de ensueño;
libros, flor de la vida
consciente; cofres místicos
que custodias el pensamiento humano;
nidos trémulos de alas poderosas,
audaces e invisibles;
atmósfera de las almas;
intimidad celeste y escondida
de los altos espíritus.

Libros, hojas de árbol de la ciencia;
libros, espiga de oro
que fecundara el verbo desde el caos
libros en que ya empieza desde el tiempo
el milagro de la inmortalidad;
libros (los del poeta)
que estáis, como los bosques,
poblados de gorjeos, de perfumes
rumor de frondas y correr de agua;
que estáis llenos, como las catedrales
de símbolos de dioses y de arcanos.

Libros, depositarios de la herencia
misma del universo;
antorchas en que arden
las ideas eternas e inexhaustas;
cajas sonoras donde custodiados
están todos los ritmos
que en la infancia del mundo
las musas revelaron a los hombres.

Libros, que sois un ala (amor la otra)
de las dos que el anhelo necesita
para llegar a la Verdad sin mancha.

Libros, ¡ay! sin los cuales
no podemos vivir: sed siempre, siempre,
los tácitos amigos de mis días.

Y vosotros, aquellos que me disteis
el consuelo y la luz de los filósofos,
las excelsas doctrinas
que son salud y vida y esperanza,
servidle de piadosos cabezales,
a mi sueño en la noche que se acerca.

NO ME MUEVE MI DIOS PARA QUERERTE

Señor, sin esperanza de un bien terreno
ni celeste, sin miedo de tu grandeza,
he de ser bueno, en nombre de la belleza,
del ritmo y la armonía que hay en ser bueno.

Y quiero estar sereno, siempre sereno,
como la santa madre naturaleza
en las tardes de otoño, con la realeza
de un mar que late en calma como un gran seno.

Y quiero amarte sobre seres y cosas,
porque de las criaturas esplendorosas
eres el Arquetipo y el Soberano,
¡Porque encarnas en todas las mujeres hermosas,
porqué enciendes los astros y perfumes las rosas
y dilatas la hondura del rebelde océano!

AL CRISTO

Señor, entre la sombra voy sin tino:
la fe de mis mayores ya no vierte
su apacible fulgor en el camino:
¡mi espíritu está triste hasta la muerte!

Busco en vano una estrella que me alumbre:
busco en vano un amor que me redima;
mi divino ideal está en la cumbre,
y yo, ¡pobre de mí!, yazgo en la sima...

La lira que me diste, entre las mofas
de los mundanos, vibra sin concierto;
¡se pierden en la noche mis estrofas,
como el grito de Agar en el desierto!

Y paria de la dicha y solitario,
siento hastío de todo cuanto existe...
Yo, Maestro, cual Tú, subo al Calvario,
y no tuve Tabor... cual no tuviste...

Ten piedad de mi mal, dura es mi pena,
numerosas las lides en que lucho:
fija en mí tu mirada que serena,
y dame, como un tiempo a Magdalena
la calma: ¡yo también he amado mucho!

EL MILAGRO

¡Señor, yo te bendigo, porque tengo esperanza!
Muy pronto mis tinieblas se enjoyarán de luz...
Hay un presentimiento de sol en lontananza;
¡me punzan mucho menos los clavos de mi cruz!

Mi frente, ayer marchita y obscura, se levanta
hoy, aguardando el místico beso del Ideal.
Mi corazón es nido celeste, donde canta
el ruiseñor de Alfeo su canción de cristal.

—¿Dudé —¿por qué negarlo?— y en las olas me
(hundía
como Pedro, a medida que más hondo dudé.
Pero tú me tendiste la diestra, y sonreía
tu boca murmurando: "¡Hombre de poca fe!"

¡Qué mengua! Desconfiaba de ti, como si fuese
algo imposible el alma que espera en el Señor;
como si quien demanda luz y amor, no pudiese
recibirlos del Padre: fuente de luz y amor.

Mas hoy, Señor, me humillo, y en sus crisoles fragua
una fe de diamante mi excelsa voluntad.
La arena me dio flores, la roca me dio agua,
me dio el simún frescura, y el tiempo eternidad.

ME MARCHARE

Me marcharé, Señor, alegre o triste;
mas resignado, cuando al fin me hieras.
Si vine al mundo porque tú quisiste,
¿no he de partir sumiso cuando quieras?

Un torcedor tan sólo me acongoja,
y es haber preguntado el pensamiento
sus porqués a la Vida... ¡Mas la hoja
quiere saber dónde la lleva el viento!

Hoy, empero, ya no pregunto nada:
cerré los ojos, y mientras el plazo
llega en que se termine la jornada,
mi inquietud se adormece en la almohada
de la resignación, ¡en tu regazo!

RESUELVE TORNAR AL PADRE

No temas, Cristo-Rey, si descarriado
tras locos ideales he partido:
ni en mis días de lágrimas te olvido,
ni en mis horas de dichas te he olvidado.

En la llaga cruel de tu costado
quiere formar el ánima su nido,
olvidando los sueños que ha vivido
y las tristes mentiras que ha soñado.

A la luz del dolor que ya me muestra
mi mundo de fantasmas vuelto escombros,
de tu místico monte iré a la falda.

Con un báculo: tedio en la siniestra,
con andrajos de púrpura en los hombros,
con el haz de quimeras a la espalda.

TU

Señor, Señor, Tú antes, Tú después, Tú en la in-
(mensa
hondura del vacío y en la hondura interior;
Tú en la aurora que canta y en la noche que piensa;
Tú en la flor de los cardos y en los cardos sin flor.

Tú en el cenit a un tiempo y en el nadir; Tú en
(todas
las transfiguraciones y en todo el padecer;
Tú en la capilla fúnebre y en la noche de bodas;
Tú en el beso primero y en el beso postrer.

Tú en los ojos azules y n los ojos obscuros;
Tú en la frivolidad quinceañera, y también
en las graves ternezas de los años maduros;
Tú en la más negra sima, Tú en el más alto edén.

Si la ciencia engreída no te ve, yo te veo;
si sus labios te niegan, yo te proclamaré.
Por cada hombre que duda, mi alma grita: "Yo creo".
¡Y con cada fe muerta, se agiganta mi fe!

POETAS MISTICOS

Para Jesús E. Valenzuela.

Bardos de frente sombría
y de perfil desprendido
de alguna vieja medalla;

los de la gran señoría,
los de mirar distraído,
los de la voz que avasalla.

Teólogos graves intensos,
vasos de amor desprovistos,
vasos henchidos de penas;

II

los de los ojos inmensos,
los de las caras de cristos,
los de las grandes melenas:

mi musa, la virgen fría
que vuela en pos del olvido,
tan sólo embelesos halla

en vuestra gran señoría,
vuestro mirar distraído
y vuestra voz que avasalla

Mi alma que os busca entrevistos
tras de los leves inciensos,
bajo las naves serenas,

ama esas caras de cristos,
ama esos ojos inmensos,
ama esas grandes melenas.

A KEMPIS

Sicut nubes, quasi naves,
velut umbra...

Ha muchos años que busco el yermo,
ha muchos años que vivo triste,
ha muchos años que estoy enfermo,
¡y es por el libro que tú escribiste!

Oh Kempis, antes de leerte, amaba
la luz, las vegas, el mar Océano;
mas tú dijiste que todo acaba,
¡que todo muere, que todo es vano!

Antes, llevado de mis antojos,
besé los labios que al beso invitan,
las rubias trenzas, los grandes ojos,
¡sin acordarme que se marchitan!

Mas como afirman doctores graves,
que tú, maestro, citas y nombras,
que el hombre pasa *como las naves,*
como las nubes, como las sombras...,

huyo de todo terreno lazo,
ningún cariño mi mente alegra,
y con tu libro bajo del brazo
voy recorriendo la noche negra...

¡Oh Kempis, Kempis, asceta yermo,
pálido asceta, qué mal me hiciste!
¡Ha muchos años que estoy enfermo,
y es por el libro que tú escribiste!

REMANSO

¡Oh, cuán bueno es pasar inadvertido,
dulce Fray Luis! Que no diga ninguno:
"Ahí va el eminente, el distinguido..."

¡Qué suave regazo el del olvido!
¡Qué silencio mullido!
¡Qué remanso de paz tan oportuno!

Simplemente, al arrimo
de la Naturaleza, madre santa,
hacer la obra, dar el fruto óptimo,
como brinda su néctar el racimo
la fuente brota y el pardillo canta.

No pedir galardón ni recompensa,
feliz del fruto que cuajó en la rama,
Cordialmente pensar con cuanto piensa,
férvidamente amar con cuanto ama.

Sentirse uno por siempre con la esencia
misma de la perenne creación:
chispa consciente en su inmortal conciencia,
y latido en su inmenso corazón.

MI VERSO

Querría que mi verso, de guijarro,
en gema se trocase y en joyero;
que fuera entre mis manos como el barro
en la mano genial del alfarero.

Que lo mismo que el barro, que a los fines
del artífice pliega sus arcillas,
fuese cáliz de amor en los festines
y lámpara de aceite en las capillas;

Que, dócil a mi afán, tomase todas
las formas que mi numen ha soñado
siendo alianza en el rito de las bodas,
pastoral en el índex del prelado;

Lima noble que un grillo desmorona
o eslabón que remata una cadena,
crucifijo papal que nos perdona
o gran timbre de rey que nos condena

Que fingiese a mi antojo, con sus claras
facetas en que tiemblan dos destellos,
florones para todas las tiaras
y broches para todos los cabellos;

Emblema para todos los amores,
espejos para todos los encantos,
y coronas de astrales resplandores
para todos los genios y los santos.

Yo trabajo, mi fe no se mitiga,
y, troquelando estrofas con mi sello,
un verso acuñaré del que se diga:
Tu verso es como el oro sin la liga:
radiante, dúctil, poliforme y bello,

DOS SIRENAS

Dos sirenas que cantan: el Amor y el Dinero,
Mas tú sé como Ulises, previsor y sagaz:
tapa bien las orejas a piloto y remero,
y que te aten al mástil de tu barco ligero;
que, si salvas la sirte, ¡tu gran premio es la paz!

Es engaño el Dinero y el Amor es engaño
cuando juzgas tenerlos, una transmutación
al Amor trueca en tedio; trueca al Oro en estaño...
El amor es bostezo y el placer hace daño,
(Esto ya lo sabías, ¡oh buen rey Salomón!)

Pero el hombre insensato por el oro delira,
y de Amor vanamente sigue el vuelo fugaz...
Sólo el sabio. el asceta, con desprecio los mira.
Es mentira el Dinero y el Amor es mentira:
si los vences, conquistas el bien sumo: ¡la Paz!

SI UNA ESPINA ME HIERE...

Si una espina me hiere, me aparto de la espina,
...pero no la aborrezco!
Cuando la mezquindad
envidiosa en mí clava los dardos de su inquina,
esquívase en silencio mi planta, y se encamina
hacia más puro ambiente de amor y caridad.

¿Rencores? ¡De qué sirven! ¡Qué logran los ren-
(cores!
Ni restañan heridas, ni corrigen el mal.
Mi rosal tiene apenas tiempo para dar flores,
y no prodiga savias en pinchos punzadores:
si pasa mi enemigo cerca de mi rosal,

se llevará las rosas de más sutil esencia;
y si notara en ellas algO rojo vivaz,
¿será el de aquella sangre que su malevolencia
de ayer vertió, al herirme con encono y violencia,
y que el rosal devuelve, troncada en flor de paz?

LA TONTA

Permanece a la puerta largo tiempo sentada,
sumergiendo en quién sabe qué abismos su mirada,
y cuando los patanes se mofan de ella, y cuando
le preguntan: — "¿Qué haces?" Responde—: "¡Es-
(toy pensando!"
— "¡Estás pensando!", todos corean con voz pronta.
"¿Lo oís? ¡Está pensando Sebastiana la tonta!"

Mas ella no se inmuta, y sus claras pupilas,
con misterioso ahínco clávanse en las tranquilas
lontananzas bermejas del crepúsculo vivo,
que, sin pensar, parece cual ella pensativo...

¿Qué miran esos ojos fulgurantes a ratos
verdes y estirados de oro como los de los gatos?

¿Qué atisban en las nubes —ingrávidas viajeras—
que pasan proyectando sus sombras en las eras?
¿Qué acechan en los cielos, qué buscan, en fin, cuan-
(do?
la tonta a los patanes responde: "Estoy pensando";

Su alma está en ese punto de la Circunferencia
divina en que se funden la ciencia y la inconsciencia;
donde los dos extremos eslabones se traban,
donde empiezan los simples y los genios acaban.

La madrastra la riñe sin cesar: nunca acierta
la tonta a contentarla... Mas, después, a la puerta
de la casucha sórdida, Sebastiana se desquita,
mirando con sus ojos de jade la infinita
lontananza en que sangra la tarde agonizando,
mientras murmuran todos: "La tonta está pensan-
(do..."

EL GRAN VIAJE

¿Quién será, en un futuro no lejano,
el Cristóbal Colón de algún planeta;
¿Quién logrará con máquina potente,
sondar el océano
del éter, y llevarnos de la mano
allí donde llegaran solamente
los osados ensueños del poeta?

¿Quién será en un futuro no lejano
el Cristóbal Colón de algún planeta?

¿Y qué sabremos tras el viaje augusto;
¿Qué nos enseñaréis, humanidades
de otros orbes, que giran
en la divina noche silenciosa,
y que acaso hace siglos que nos miran?

Espíritus a quienes las edades
en su fluir robusto
mostraron ya la clave portentosa
de lo Bello y
¿cuál será la cosecha de verdades
que deis al hombre, tras el viaje augusto?

¿Con qué luz nueva escrutará el arcano?
¡Oh la esencial revelación completa
que fije nuevo molde al barro humano!

¿Quién será en un futuro no lejano
el Cristóbal Colón de algún planeta?

LA SED

Inútil la fiebre que aviva tu paso;
no hay fuente que pueda saciar tu ansiedad,
por mucho que bebas...

El alma es un vaso
que sólo se llena con eternidad.

¡Qué mísero eres! Basta un soplo frío
para helarte... Cabes en un ataúd;
¡y en cambio a tus vuelos es corto el vacío,
y la luz muy tarda para tu inquietud!

¿Quién pudo esconderte, misteriosa esencia,
entre las paredes de un vil cráneo? ¿Quién
es el carcelero que con la existencia
te cortó las alas? ¿Por qué tu conciencia,
si es luz de una hora, quiere el sumo BIEN?

Displicente marchas del orto al ocaso;
no hay fuente que pueda saciar tu ansiedad
por mucho que bebas... ¡El alma es un vaso
que sólo se llena con eternidad!

EL COLOR DE LA LUNA

¡Quién pudiera decirnos el color de la luna!
Los pintores jamás tuvieron la fortuna
de sorprenderlo. Nunca lo definió el poeta.
No tiene nombre en el habla ni tono en la paleta.

Hace miles de años que los tristes la miran.
Hace miles de años que los novios suspiran
de pena o de placer a su luz oportuna,
¡y nadie sabe aún el color de la luna!

De fijo que no es oro, de fijo que no es plata,
ni nácar ni alabastro. esa claridad grata,
para la dicha, cómplice; para el dolor, discreta;
farol de los ausentes y de la serenata,
sudario misterioso de un ya muerto planeta.

Los que hemos contemplado tras los reveladores
vidrios de un objetivo *terminadores*
que fingen filigranas tenues, inmateriales
casi, los que, asomados a los limpios cristales
del ocular, miramos amanecer en esas
montañas que destacan de las sombras espesas

cada cúspide cual estrella diminuta,
mientras yacen sus moles en tiniebla absoluta;
los que vemos, ¡oh luna!, esa luz *cenicienta*
que en tu hemisferio obscuro tímida nos orienta
y que proviene acaso de nuestro fulgor mismo,
del claro de la Tierra, que a través del abismo
va a alumbrarte en las noches, apreciamos mejor
el raro y delicioso matiz de tu fulgor...

Mas, a pesar de todo, comprendemos también
que no existen palabras que lo concreten bien;
y que hay en ese beso divino que nos das
el prestigio celeste de que nunca jamás;
podremos definir   con expresión completa:
¡no tiene nombre en la habla ni tono en la paleta!
¿Quién logrará en futuras edades la fortuna
de acertar a decirnos el color de la luna?

RINDIOME AL FIN EL BATALLAR CONTINUO"

Rindióme al fin el batallar continuo
de la vida social; en la contienda,
envidiaba la dicha del beduino
que mora en libertad bajo su tienda.

Huí del mundo a mi dolor extraño,
llevaba el coraz n triste y enfermo,
y busqué, como Pablo el Ermitaño,
la inalterable soledad del yermo.

Allí moro, allí canto, de la vista
del hombre huyendo, para el goce muerto
y bien puedo decir con el Bautista:
¡Soy la voz del que clama en el desierto!

¡MENTIRA! YO NO BUSCO LAS GRANDEZAS

¡Mentira! Yo no busco las grandezas;
ni deslumbra la luz del apoteosis,
y prefiero seguir entre malezas
con mi pálida corte de tristezas
y mi novia bohemia: la Neurosis.

Dejadme. Voy muy bien por la existencia
sin mendigar un vítor ni una palma,
pues bastan a mi anhelo y mi creencia
un pedazo de azul en la conciencia
y un rayito de sol dentro del alma.

AMADO NERVO

CUANDO ME VAYA PARA SIEMPRE, ENTIERRA...

Cuando me vaya para siempre, entierra
con mis despojos tu pasión ferviente;
a mi recuerdo tu memoria cierra;
es ley común que a quien cubrió la tierra
el olvido lo cubra eternamente.

y sé dichosa; si un amor perdiste,
otro cariño tocará tu puerta...
¿Por qué impedir que la esperanza muerta
resurja ufana para bien del triste?

Ya ves..., todo renace...; hasta la pálida
tarde revive en la mañana hermosa;
vuelven las hojas a la rama escuálida,
y la cripta que forma la crisálida
es cuna de pintada mariposa.

ornan las flores al jardín ufano
que arropó con sus nieves el invierno;
hasta el Polo disfruta del verano...
¿Por qué no más el corazón humano
ha de sufrir el desencanto eterno?

90

Ama de nuevo y sé feliz. Sofoca
hasta el perfume de mi amor, si existe;
¡sólo te pido que no borres, loca,
al sellar otros labios con tu boca
la huella de aquel beso que me diste!

YA NO TENGO IMPACIENCIA

Ya no tengo impaciencia porque no aguardo nada...
Ven, Fortuna, o no vengas; que tu máquina alada
llegue al toque del alma, llegue al toque de queda,
con el brote abrileño, con la hoja que rueda...
Ya no tengo impaciencia, porque no aguardo nada.

Al fulgor de las tardes, del balcón anchuroso
de mi estancia tranquila, con un libro en la mano
yo contemplo el paisaje siempre austero y hermoso;
y mi espíritu plácido, con fervor religioso,
tiende amante las alas de oro en pos del Arcano.

Nadie turba las aguas deste lago dormido
de mi ser, desde luego de caudal puro y terso.
No hay afán que me inquiete; nada   pido,
¡y del cáliz de mi alma, cual aroma elegido,
brota cándido, uncioso y apacible, mi verso!

¿QUE ESTAS HACIENDO, ROSA...?

¿Qué estás haciendo, rosa...?
                    —Estoy en éxtasis.
—Agua, ¿qué estás haciendo?
                    —Aparta, aparta:
no perturbes mi espejo con tu imagen...
Estoy copiando un ala.
Estoy copiando un ala peregrina,
¡blanca, muy blanca!

—Inmóviles follajes de los olmos,
¿por qué están silenciosas vuestras arpas?
Se dijera que, en vez de dar conciertos,
los escucháis...

—¡Por Dios!, aguarda, aguarda!
que estamos aprendiendo melodías
misteriosas, que pasan
en la inquietud augusta de estas noches
estivales: son almas
que revuelan cantando...
ya no más a las músicas terrestres
Si tú escuchar pudieras lo que cantan,
les pedirías nada!

HOSPITALIDAD

Cristo, la ciencia moderna
te arroja sin compasión
de todas partes; ¡no tienes
dónde residir, Señor!

Las teorías positivas
y la experimentación
materialista, no dejan
sitio en los orbes a Dios.
En cuanto al alma del hombre,
a piedra y cal se cerró
hace tiempo a todo ensueño.
En el umbral, la Visión
muerta de angustia, de frío
y de soledad quedó...

En las moradas humanas
ya tan sólo caben hoy
la vanidad, el deseo
voluptuoso y la ambición.

¡Ya no tienes casa, Cristo!
...¿Mas cómo has de irte por
esos caminos, si apenas
has sonado el aldabón
de una puerta, te la cierran
con estruendo y ronca voz?

El pájaro tiene nido,
cubil el raposo halló,
y tú, en cambio, vas expuesto
a la intemperie, al horror
de las noches congeladas,
a tanto abandono...

YO

no valgo dos cuartos, Cristo:
mi corazón (tú mejor
que nadie sabe) tiene
poco espacio y poco sol;
pero, qué le hemos de hacer
si en esta comarca no
hay otro...; ¡Ven, y permite
que confuso, con temblor
de vergüenza, yo te hospede
en mi propio corazón!

INGENUA

I

¿Cómo sigue la niña?
— Sigue malita.
— Y el médico, ¿qué dice?
— Pues... la visita.
¡Si usted la viera!
parecen sus mejillas
flores de cera.
Y ¿sufre mucho? — ¡Mucho!
— ¡Pobre criatura!
Pasa ardiendo las noches,
en calentura,
y a cada rato
pregunta que pregunta
por el ingrato.
— ¡Yo estoy con un pendiente...!
Luego que supe,
una manda a la Virgen
de Guadalupe
mandé angustiada
dos novenarios, y una
misa cantada.

II

—Güerita, ¿cómo sigues?
    —¡Estoy perdida!
—¿Qué te duele? —¡Hasta el alma,
    tú de mi vida!
    ...Dime, ¿lo viste?
—Sí, ayer, —Y ¿qué te dijo?
    —Que está muy triste.

Que es falso lo de Rosa,
    que a ti te quiere
no más, y si te mueres
    también se muere.
    —¡Qué mentiroso!
—¡Palabra! Y que muy pronto
    será tu esposo.

Por más señas me ha dado...
    —¡Qué! —Un papelito.
¿Y qué dice? ¡A ver...—¡Quedito!
    "Luz, nada es cierto,
¡No te mueras! ¡No seas
    mala! —Tu Alberto".

    —¿De veras? —¡De veritas!
    —Vas a matarme
si mientes. ¡Tú lees eso
    por consolarme!
    —Te juro, Nena,
que es verdad...

III

—¿Cómo sigues
hoy? —¡Ya estoy buena!

LA RAZA DE BRONCE

LEYENDA HEROICA

Dicha el 19 de julio de 1902 en la Cámara de Diputados

EN HONOR DE JUAREZ

I

Señor, deja que diga la gloria de tu raza,
la gloria de los hombres de bronce, cuya maza
melló de tantos yelmos y escudos la osadía;
¡Oh *caballeros tigres*, ¡oh *caballeros leones*,
¡oh! *caballeros águilas*, os traigo mis canciones:
¡oh! enorme raza muerta, te traigo mi elegía.

II

Aquella tarde, en el Poniente augusto,
el crepúsculo audaz era una pira
como de algún atrida o de algún justo;
llamarada de luz o de mentira
que incendiaba el espacio, y parecía
que el sol al estrellar sobre la cumbre
su mole vibradora de centellas

se trocaba en mil átomos de lumbre,
y esos átomos eran las estrellas.

Yo estaba solo en la quietud divina
del Valle. ¿Solo? ¡No! La estatua fiera
del héroe Cuauhtémoc, la que culmina
disparando su dardo a la pradera,
bajo el palio de pompa vespertina,
era mi hermana y mi custodio era.

Cuando vino la noche misteriosa
—jardín azul de margaritas de oro—,
y calló todo ser y toda cosa,
cuatro sombras llegaron a mí en coro;
cuando vino la noche misteriosa
—jardín azul de margaritas de oro—,

Llevaba una túnica esplendente,
y eran tan luminosamente bellas
sus carnes, y tan fúlgida su frente,
que prolongaba para mí el Poniente
y eclipsaban la luz de las estrellas.

Eran cuatro fantasmas, todos hechos
de firmeza, y los cuatro eran colosos
y fingían estatuas, y sus pechos
radiaban como bronces luminosos.

Y los cuatro entonaron almo coro...
Callaba todo ser y toda cosa;
y arriba era la noche misteriosa
—jardín azul de margaritas de oro—,

III

Ante aquella visión que asusta y pasma,
yo, como Hámlet, mi doliente hermano,
tuve valor e interrogué al fantasma;
mas mi espada temblaba entre mi mano.

—¿Quién sois vosotros —exclamé—, que en presto
giro bajáis al Valle mexicano?
Tuve valor para decirles esto;
mas mi espada temblaba entre mi mano.

—¿Qué abismo os engendró? ¿De qué funesto
limbo surgís? ¿Sois seres, humo vano?
Tuve valor para decirles esto;
mas mi espada temblaba entre mi mano.

—Responded —continué—, Miradme enhiesto
y altivo y burlador ante el arcano.
Tuve valor para decirles esto;
¡mas mi espada temblaba entre mi mano...!

IV

Y un espectro de aquéllos, con asombros
vi que vino hacia mí, lento y sin ira,
llevaba una piel sobre los hombros
y en las pálidas manos una lira;
y me dijo con voces resonantes
y en una lengua rítmica que entonces
comprendí: —"¿Que quién somos? Los gigantes
de una raza magnífica de bronce.

"Yo me llamé Netzahualcóyotl y era
rey de Texcoco; tras de lid artera,
fuí despojado de mi reino un día,
y en las selvas erré como alimaña,
y el barranco y la cueva y la montaña
me enseñaron su augusta poesía.

"Torné después a mi sitial de plumas,
y fuí sabio y fuí bueno, entre las brumas
del paganismo adiviné al Dios Santo;
le erigí una pirámide y en ella,
siempre al fulgor de la primera estrella
y al son del *huéhuetl*, le elevé mi canto".

V

Y otro espectro acercóse; en su derecha
llevaba una *macana*, y una fina
saeta en su carcaj, de óniz hecha;
coronaban su testa plumas bellas,
y me dijo: —"Yo soy Ilhuicamina,
sagitario del éter, y mi flecha
traspasa el corazón de las estrellas.

"Yo hice grande la raza de los lagos,
yo llevé la conquista y los estragos
a vastas tierras de la patria andina,
y al tornar de mis bélicas porfías
traje pieles de tigre, pedrerías
y oro en polvo... ¡Yo soy Ilhuicamina!"

VI

Y otro espectro me dijo: —"En nuestros cielos
las águilas y yo fuimos gemelos:
¡Soy Cuauhtémoc! Luchando sin desmayo
caí... ¡porque Dios quiso que cayera!
Mas caí como el águila altanera:
viendo al sol, y apedreada por el rayo.

"El español martirizó mi planta
sin lograr arrancar de mi garganta
ni un grito, y cuando el rey mi compañero
temblaba entre las llamas del brasero:
—¿Estoy yo, por ventura, en un deleite?,
le dije, y continué, sañudo y fiero,
mirando hervir mis pies en el aceite..."

VII

Y el fantasma postrer llegó a mi lado:
no venía del fondo del pasado
como los otros; mas del bronce mismo
era su pecho y en sus negros ojos
fulguraba, en vez de ímpetus y arrojos,
la tranquila frialdad del heroísmo.

Y parecióme que aquel hombre era
sereno como el cielo en primavera
y glacial como cima que acoraza
la nieve, y que su sino fue, en la Historia,
tender puentes de bronce entre la gloria
de la raza de ayer y nuestra raza.

Miróme con su límpida mirada,
y yo le vi sin preguntarle nada.
Todo estaba en su enorme frente escrito:
la hermosa obstinación de los castores,
la paciencia divina de las flores
y la heroica dureza del granito...

¡Eras tú, mi Señor, tú que soñando
estás en el panteón de San Fernando
bajo el dórico abrigo en que reposas;
eras tú que, en ensueño peregrino,
ves marchar a la Patria en su camino,
rimando risas y regando rosas!

Eras tú, y a tus pies cayendo al verte:
—Padre —te murmuré—, quiero ser fuerte:
dame tu fe, tu obstinación extraña;
quiero ser como tú, firme y sereno;
quiero ser como tú, paciente y bueno;
quiero ser como tú, nieve y montaña.
Soy una chispa: ¡enséñame a ser lumbre!
Soy un guijarro: ¡enséñame a ser cumbre!
Soy una linfa: ¡enséñame a ser río!
Soy un harapo: ¡enséñame a ser gala!
Soy una pluma: ¡enséñame a ser ala,
y que Dios te bendiga, padre mío!

VIII

Y hablaron tus labios, tus labios benditos,
y así respondieron a todos mis gritos,
a todas mis ansias: —No hay nada pequeño,
ni el mar ni el guijarro, ni el sol ni la rosa,
con tal de que el sueña, visión misteriosa,
le preste sus nimbos, ¡y tú eres el sueño!

"Amar eso es todo; querer, ¡todo es eso!
Los mundos brotaron al eco de un beso,
y un beso es el astro, y un beso es el rayo,
y un beso los trinos del ave canora
que glosa las fiestas divinas de Mayo.

"Yo quise a la Patria por débil y mustia,
la Patria me quiso con toda su angustia,
y entonces nos dimos los dos un gran beso:
los besos de amores son siempre fecundos;
un beso de amores ha creado los mundos;
amar... ¡eso es todo!; querer... ¡todo es eso!"

Así me dijeron tus labios benditos,
así respondieron a todos mis gritos,
a todas mis ansias y eternos anhelos.
Después, los fantasmas volaron en coro,
y arriba los astros —poetas de oro—
pulsaban la lira de azur de los cielos.

IX

Mas al irte, Señor, hacia el ribazo
donde moran las sombras, un gran lazo
dejabas, que te unía con los tuyos,
un lazo entre la tierra y el arcano,
y ese lazo era otro indio: Altamirano;
bronce también, mas bronce con arrullos.

Nos le diste en herencia, y luego, Juárez
te arropaste en las noches tutelares
con tus amigos pálidos; entonces,
comprendiendo lo eterno de tu ausencia,
repitieron mi labio y mi conciencia,

—Señor, alma de luz, cuerpo de bronce,
soy una chispa: enséñame a ser lumbre!
Soy un guijarro: enséñame a ser cumbre!
Soy una linfa: enséñame a ser río!
Soy un harapo: enséñame a ser gala!
Soy una pluma: enséñame a ser ala,
y que Dios te bendiga, padre mío!

Tú escuchaste mi grito, sonreíste
y en la sombra infinita te perdiste
cantando con los otros almo coro.

Callaba todo ser y toda cosa;
y arriba era noche misteriosa
jardín azul de margaritas de oro...

LA PUERTA

Por esa puerta huyó, diciendo: "¡Nunca!"
Por esa puerta ha de volver un día...
Al cerrar esa puerta, dejó trunca
la hebra de oro de la esperanza mía.
Por esa puerta ha de volver un día.

Cada vez que el impulso de la brisa,
como una mano débil, indecisa,
levemente sacude la vidriera,
palpita más aprisa, más aprisa
mi corazón cobarde que la espera.

Desde mi mesa de trabajo veo
la puerta con que sueñan mis antojos,
y acecha agazapado mi deseo
en el trémulo fondo de mis ojos
¿Por cuánto tiempo, solitario, esquivo
he de aguardar con la mirada incierta
a que Dios me devuelva compasivo
a la mujer que huyó por esa puerta?

¿Cuándo habrán de temblar esos cristales
empujados por sus manos ducales,
y, con un beso ha de llegarme ella,
cual me llega en las noches invernales
el ósculo piadoso de una estrella?

¡Oh, Señor!, ya la Pálida está alerta;
¡oh, Señor! cae la tarde ya en mi vía
y se congela mi esperanza yerta!
¡Oh, Señor, haz que se abra al fin la puerta
y entre por ella la adorada mía!—
...¡Por esa puerta ha de volver un día!

INMORTALIDAD

No, no fue tan efímera la historia
de nuestro amor: entre los folios tersos
del libro virginal de tu memoria,
como pétalo azul está la gloria
doliente, noble y casta de mis versos.

No puedes olvidarme: te condeno
a un recuerdo tenaz. Mi amor ha sido
lo más alto en tu vida, lo más bueno;
y sólo entre los légamos y en cieno
surge el pálido loto del olvido.

Me verás dondequiera: en el incierto
anochecer, en la alborada rubia;
y cuando hagas labor en el desierto
corredor, mientras tiemblan en tu huerto
los monótonos hilos de la lluvia.

¡Y habrás de recordar! Esa es la herencia
que te da mi color, que nada ensalma!
¡Seré cumbre de luz en tu existencia,
y un reproche inefable en tu conciencia
y una estela inmortal dentro de tu alma!

GUADALUPE

*Para el Dr. Manuel Flores, quien
me pidió unos versos nacionales.*

Con su escolta de rancheros,
diez fornidos guerrilleros, y en su *cuaco retozón*
que la rienda mal aplaca,
Guadalupe la *chinaca* va a buscar a Pantaleón.

Pantaleón es su marido,
el *gañán más atrevido con las bestias y en ella la lid;*
faz trigueña, ojos de moro,
y unos músculos de toro y unos ímpetus de Cid.

Cuando mozo fue vaquero,
y en el monte y el potrero la fatiga le templó
para todos los reveses,
y es terror de los franceses, y cien veces lo probó.

Con su silla plateada,
su chaqueta alhamarada, su vistoso *cachirul*
y la lanza de *cañutos,*
cabalgando *pencos* brutos ¡qué gentil se ve el gan-
(dul!

Guadalupe está orgullosa
de su *prieto*: ser su esposa le parece una ilusión,
y al mirar que en la pelea
Pantaleón no se *pandea*, grita: viva Pantaleón!

Ella cura a los heridos
con remedios aprendidos en el rancho en que nació,
y los venda en los combates
con los rojos *paliacates* que la pólvora impregnó.

En aquella madrugada todo halaga su mirada,
finge pórfido el nopal,
y los *órganos* parecen candelabros que se mecen
con la brisa matinal.

En los planes y en las peñas, el ganado entre las
(breñas
rumia, trisca mugidor
azotándose los flancos, y en los húmedos barrancos
busca tunas el pastor.

A lo lejos, en lo alto, bajo un cielo de cobalto
van tiñéndose las brumas, como un piélago de plumas
irisadas por la luz.

Y en las fértiles llanadas, entre milpas retostadas
de calor, pringan el plan
amapolas, *maravillas*, zempoalxóchitls amarillas
y azucenas de San Juan.

Guadalupe va de prisa, de retorno de la misa:
que, en las fiestas de guardar,
nunca faltan las rancheras
con sus flores y sus ceras a la iglesia del lugar;

con su gorra galoneada, su camisa pespunteada,
su gran paño para el sol,
su rebozo de *bolita*,
y una saya nuevecita y unos *bajos* de charol;

con su faz encantadora más hermosa que la aurora
que colora la extensión;
con sus labios de carmines,
que parecen *colorines*, y su cutis de piñón;

se dirije al campamento donde reina el movimiento
y hay mitote y hay licor;
porque ayer fue bueno el día,
pues cayó en la serranía un convoy del invasor.

Qué mañana tan hermosa: ¡cuánto verde, cuánta
Y qué linda, en la extensión
ros;.:y verde, se destaca
con su escolta la *chinaca* que va a ver a Pantaleón.

MI MEXICO

Nací de una raza triste,
de un país sin unidad
ni ideal ni patriotismo;
mi optimismo
es tan sólo voluntad;

obstinación en querer,
con todos mis anhelares,
un México *que ha de ser*, . . .
a pesar de los pesares,
y que yo ya no he de ver. . .

GRATIA PLENA

Todo en ella encantaba, todo en ella atraía;
su mirada, su gesto, su sonrisa, su andar...
El ingenio de Francia de su boca fluía,
Era *llena de gracia*, como el Avemaría
¡quien la vio, no la pudo ya jamás olvidar!

Ingenua como el agua, diáfana como el día,
rubia y nevada como Margarita sin par,
al influjo de su alma celeste, amanecía...
Era llena de gracia, como el Avemaría;
¡quien la vio, no la pudo ya jamás olvidar!

Cierta dulce y amable dignidad le investía
de no sé qué prestigio lejano y singular.
Más que muchas princesas, princesa parecía;
¡quien la vio, no la pudo ya jamás olvidar!

Yo gocé el privilegio de encontrarla en mi vía
dolorosa; por ella tuvo fin mi anhelar,
y cadencias arcanas halló mi poesía.
Era llena de gracia, como el Avemaría,
¡quien la vio, no la pudo ya jamás olvidar!

¡Cuánto, cuánto la quise. Por diez años fue mía,
¡pero flores tan bellas nunca pueden durar!
Era llena de gracia, como el Avemaría,
¡y a la fuente de gracia, de donde procedía,
se volvió... como gota que se vuelve a la mar!

AQUEL OLOR

Era un amicizia "di terra lontana".
                    Gabriel D' Anunzio.

¿En qué cuento te leí?
¿En qué sueño te soñé?
¿En qué planeta te vi?
antes de mirarte aquí;
¡Ah, no lo sé... no lo sé!

Pero brotó nuestro amor
con un *antiguo* fervor,
y hubo, al tendernos la mano,
cierta emoción *anterior,*
venida de lo lejano.

Tenía nuestra amistad,
desde el comienzo un cariz
de otro sitio, de otra edad,
y una familiaridad
de indefinible matiz...

Explique alguien (si lo osa)
el hecho, y por qué, además,
de tus caricias de diosa
me queda una misteriosa
esencia sutil de rosa
que vienen de un siglo atrás...

BENDITA

Bendita seas, porque me hiciste
amar la muerte, que antes temía.
Desde que de mi lado te fuiste,
amo la muerte cuando estoy triste;
si estoy alegre, más todavía.

En otro tiempo, su hoz glacial
me dio terrores; hoy, es mi amiga,
¡Y la presiento tan maternal!...
Tú realizaste prodigio tal.
¡Dios te bendiga! ¡Dios te bendiga!

¡QUE BIEN ESTAN LOS MUERTOS!

¡Qué bien están los muertos
ya sin calor ni frío,
ya sin tedio ni hastío!

Por la tierra cubiertos,
en su caja extendidos
blandamente dormidos...

¡Qué bien están los muertos,
con las manos cruzadas,
con las bocas cerradas!

¡Con los ojos abiertos,
para ver el arcano
que yo persigo en vano!

¡Qué bien estás, mi amor,
ya para siempre exceptuada
de la vejez odiada,

del verdugo dolor...
Inmortalmente joven,
dejando que te troven

su trova cotidiana
los pájaros poetas
que moran en las quietas

tumbas, y en la mañana
donde la Muerte unida,
saludan a la vida!

BIENAVENTURADOS

Bienaventurados;
los dignificados
por la dignidad glacial de la muerte;
los invulnerables ya para los hados,
una y misma cosa ya con el Dios fuerte!

¡Bienaventurados;

¡Bienaventurados!
el muro ilusorio de espacio y guarismos;
los que a lo absoluto ya por fin volvieron;

Bienaventurada, dulce muerte mía,
a quien he rezado como letanía
de fe, poesía
y amor, estas páginas... nunca leerás.
Por quien he vertido, de noche y de día,
todas estas lágrimas... que no secarás.

VIVIR SIN TUS CARICIAS

Vivir sin tus caricias es mucho desamparo;
vivir sin tu amoroso mirar, ingenuo y claro
vivir sin tus palabras es mucha soledad;
es mucha obscuridad...

DESPUES

Después de aquella brava agonía,
ya me resigno... ¡Sereno estoy!
yo, con ella nada pedía
hoy, sin ella, sólo querría
ser noble y bueno... ¡mientras me voy!

En su bendito nombre que adoro,
ser noble y bueno, y al expirar,
poder decirme: "Nada atesoro:
di toda mi alma, di todo mi oro,
di todo aquello que pude dar!"

Desnudo torno como he vivido:
cuanto era mío, mío no es ya:
como un aroma me he difundido,
como una esencia me he diluido;
y, pues que nada tengo ni pido,
¡Señor, al menos vuélvemela!

¡OH MUERTE!

Muerte, ¡cómo te he deseado!
¡con qué fervores te he invocado!
¡con qué anhelares he pedido
a tu boca su beso helado!
¡Pero tú, ingrata, no has oído!

¡Vendrás, quizá, con paso quedo,
cuando de partir tengo miedo,
cuando la tarde me sonría
y algún ángel, con rostro ledo,
serene mi melancolía!

Vendrás, quizá, cuando la vida
me muestre una veta escondida
y encienda para mí una estrella.
¡Qué importa! Llega, ¡oh, Prometida!:
¡siempre has de ser la Bienvenida,
pues que me juntarás con ELLA!

YA TODO ES IMPOSIBLE

¡Dios no ha de devolvérmela porque llores!
Mientras tú vas y vienes por la casa
vacía: mientras gimes,
la pobre está pudriéndose en su agujero.
¡Ya todo es imposible!

Así llenaras veinte lacrimatorios
con sal de tus ojos: así supieres
hasta luchar en ímpetu
con el viento que pasa, destrozando
las flores de tus jardines:
así solloces hasta herir la entraña
de la noche sublime,
nada obtendrás: la muerte no devuelve
sino cenizas a los tristes. . .
la pobre está pudriéndose en su agujero.
¡Ya todo es imposible!

¡Dios lo ha querido. . . Inclina la cabeza,
humíllate, humíllate,
y aguarda, recogido, en las tinieblas,
el beso de la Esfinge!

TODO INUTIL

Inútil es tu gemido:
no la mueve tu dolor.
La muerte cerró su oído
a todo vano rumor.

En balde tu boca loca
la suya quiere buscar
Dios ha sellado su boca
¡ya no te puede besar!

Nunca volverás a ver
sus amorosas pupilas
en tus veladas arder
como lámparas tranquilas.

Ya sus miradas tan bellas
en ti no se posarán
Dios puso la noche en ellas
y llenas de noche están...

Las manos inmaculadas
le cruzaste en su ataúd,
y estarán siempre cruzadas:
¡ya es eterna su actitud!

Al noble corazón tierno
que sólo por ti latió;
como pájaro en invierno
la noche lo congeló.

—¿Y su alma; Por qué no viene?
¡fue tan mía...! ¿Dónde está?
—Dios la tiene; Dios la tiene:
¡El te la devolverá
quizá!

QUEDAMENTE

Me la trajo quedo, muy quedo, el Destino,
y un día, en silencio me la arrebató:
llegó sonriendo; se fue sonriente;
quedamente vino,
vivió quedamente:
queda... quedamente desapareció

SEIS MESES

¡Seis meses ya muerta! Y en vano he pretendido
un beso, una palabra, un hálito, un sonido...
y, a pesar de mi fe, cada día evidencio.

Si yo me hubiera muerto, ¡qué mar, qué cataclismos,
un beso, una palabra
qué vórtices, qué nieblas, qué cimas ni qué abismos
burlaran mi deseo febril omnipotente
de venir por las noches a besarte en la frente,
de bajar, con la luz de un astro zahorí,
a decirte: "¡No te olvides de mí!"
que detrás de la tumba ya no hay más que silencio.

Y tú, que me querías tal vez más que te amé,
callas inexorable, de suerte que no sé
sino dudar de todo, del alma, del destino
¡y ponerme a llorar en medio del camino!
Pues con desolación infinita evidencio
que detrás de la tumba ya no hay más que silencio...

POR MIEDO

...La dejé marcharse sola
...y, sin embargo, tenía
para evitar mi agonía
la piedad de una pistola.

"¿Por qué no morir?" —pensé
"¿Por qué no librarme desta
tortura? ¿Ya que me resta
después que ella se fue?"

...Pero el resabio cristiano
me insinuó con voces graves:
"¡Pobre necio, tú qué sabes!"
Y paralizó mi mano.

Tuve miedo... es la verdad;
miedo, sí, de ya no verla,
miedo inmenso de perderla
por toda una eternidad.

Y preferí, no vivir
—que no es vida la presente—,
sino acabar lentamente,
lentamente, de morir.

¡COMO CALLAN LOS MUERTOS!

¡Qué despiadados son
en su callar los muertos!

Con razón

todo mutismo trágico y glacial,
todo silencio sin apelación
le llaman: un silencio *sepulcral*.

¡OH DOLOR!

¡Oh dolor!, buen amigo, buen maestro de escuela,
gran artífice del alma, incomparable espuela
para el corcel rebelde..., ¡hiere, hiere hasta el fin!

¡A ver si de ese modo,
con un poco de lodo,
forjas un serafín!

DILEMA

O no hay alma, y mi muerte ya no existe
(conforme al duro y cruel "polvo serás"),
... no puede venir y está muy triste;

Si de lo que ella fue sólo viviese
pero olvidarte de mi amor, ¡jamás!
un átomo consciente, tras la fría
transmutación de los sepulcros, ¡ese
átomo de conciencia me amaría!

SIN RUMBO

Por diez años su diáfana existencia fue mía.
Diez años en mi mano su mano se apoyó
¡...y en sólo unos instantes se me puso tan fría,
que por siempre mis besos congeló!

¡Adónde iréis ahora, pobre loca
de mis huérfanos besos, si sus labios están
cerrados, si hay un sello glacial sobre su boca,
si su frente divina se heló bajo su toca,
si sus ojos ya nunca se abrirán!

...PERO TE AMO

Yo no sé nada de la vida,
yo no sé nada del destino,
yo no sé nada de la muerte;

Según la buena lógica, tú eres luz extinguida;
mi devoción es loca, mi culto desatino,
y hay una insensatez infinita en quererte;
¡pero te amo!

BENDICION A FRANCIA

¡Bendita seas, Francia, porque me diste amor!
En tu París inmenso y cordial, encontré
para mi cuerpo abrigo, para mi alma fulgor,
para mis ideales el ambiente mejor,
. . . ¡y además una dulce francesa que adoré!

Por esa mujer noble, tuyo es, Francia querida,
mi reconocimiento;, pues, que merced a ella,
tuv todo los bienes: el gusto por la vida,
la intimidad celeste, la ternura escondida,
y la luz de la lámpara y la luz de la estrella.

Yo no sé qué demiurgo la sustrajo a mi anhelo
tras una amputación repentina y cruel,
y ya tú sola, Francia, puedes darme consuelo:
con un refugio amigo para llorar mi duelo,
tu maternal regazo para verter mi hiel,
la sombra de algún árbol en tu florido suelo
. . . ¡y acaso, en tus colmenas, una gota de miel!

¿LLORAR? ¿POR QUE?

Este libro de mi dolor:
lágrima a lágrima lo formé;
una vez hecha, te juro por
Cristo, que nunca más lloraré.
¿Llorar? ¿Por qué?

Serán mis rimas como el rielar
de una luz íntima, que dejaré
en cada verso; pero llorar,
¡eso ya nunca! ¿Por quién? ¿Por qué?

Serán un plácido florilegio,
un haz de notas que regaré,
y habrá una risa por cada arpegio...
¿Pero una lágrima? ¡Qué sacrilegio!
Eso ya nunca. ¿Por quién? ¿Por qué?

LA CITA

> *Llamaron quedo, muy quedo,*
> *a la puerta de tu casa...*
>
> *Villaespesa.*

—¿Has escuchado?
tocan la puerta...
—La fiebre te hace
desvariar.

—Estoy citado
con una muerta,
y un día de estos me ha prometido;
a su promesa no ha de faltar...
Tocan la puerta ¿Qué, no has oído?
—La fiebre te hace desvariar.

UNIDAD

No madre, no te olvido;
mas apenas ayer ella se ha ido,
y es natural que mi dolor presente
cubra tu dulce imagen en mi mente
con la imagen del otro bien perdido.

Ya juntas viviréis en mi memoria
como oriente y ocaso de mi historia,
como principio y fin de mi sendero,
como nido y sepulcro de mi gloria;
¡pues contigo, nací; con ella, muero!

Ya viviréis las dos en mis amores
sin jamás separarnos;
pues, como en un matiz hay dos colores
y en un tallo dos flores
¡en una misma pena he de juntaros!

PIEDAD

No porque está callada
y ya no te responde, la motejes;

no porque yace helada,
severa, inmóvil, rígida, la huyas;

no porque está tendida
y no puede seguirte ya, la dejes;

¡no porque está perdida
para siempre jamás, la sustituyas!

SOLO TU... (*)

Cuando lloro con todos los que lloran,
cuando ayudo a los tristes con su cruz,
cuando parto mi pan con los que imploran,
eres tú quien me inspira, sólo tú.

Cuando marcho sin brújula ni tino,
perdiendo de mis alas el albor
en tantos barrizales del camino,
soy yo el culpable, solamente yo.

Cuando miro al que sufre como hermano;
cuando elevo mi espíritu al azul,
cuando me acuerdo de que soy cristiano,
eres tú quien me inspira, sólo tú.

Pobres a quienes haya socorrido,
almas obscuras a las que di luz:
¡no me lo agradezcáis, que yo no he sido!
Fuiste tú, muerta mía, fuiste tú...

(*)   Este poema no estaba incluido en el manuscrito
       original de *La Amada Inmóvil.*
                                          N. del A.

TRES MESES

Mi amada se fue a la Muerte,
partió al Misterio mi amada;
se fue una tarde de invierno;
iba pálida, muy pálida.

Ella que, por su calor,
gloriosamente rosada,
parecía un ser traslúcido
iluminado por llama.

¡Qué lividez
y qué frialdad! ¡Si tenía
hasta las trenzas heladas!

¡Se fue a la Muerte, que es
nuestra Madre, nuestra Patria
y nuestra sola heredad
tras este valle de lágrimas!

Hoy hace tres meses justos
que se la llevaron trágica-
mente inmóvil, y recuerdo

con qué expresión desolada
se plañía entre los árboles
el viento del Guadarrama.

¡Tres meses de viaje! ¡Nunca!
fue nuestra ausencia tan larga!
Noventa días sin verla,
y sin una sola carta...

Abismo de los abismos,
distancia de las distancias,
hondura de las honduras,
muralla de las murallas,
¿dónde tienes a mi muerta?
¡Dámela! ¡Dámela! ¡Dámela!

En vano en la noche lóbrega
suena y resuena la aldaba
con que llamo a la gran puerta
del castillo que se alza
en la cima misteriosa
de la fúnebre montaña!

Cierto, detrás de esa hostil
fortaleza, alguien se halla...
Se adivina no sé qué,
un confuso rumor de almas...

De fijo nos oyen, pero
nadie nos responde nada,
y resuena solamente,
con vibraciones metálicas,
en los ámbitos inmensos
el golpazo de la aldaba.

Hoy hace tres meses justos
que se la llevaron, trágica-
mente inmóvil, y recuerdo
con qué expresión desolada
se plañía entre los árboles
el viento del Guadarrama
y recuerdo también que
al cruzar por las barriadas
de Madrid me sollozó
una tétrica gitana:
"¡Señorito, una limosna
por la difunta de su *alma!*"

¿QUE MAS ME DA?

In angello cum libello.

Kempis.

¡Con ella, todo; sin ella, nada!
Para qué   ajes,
cielos, paisajes...?
¡Qué importan soles en la jornada!
¡Qué más me da
la ciudad loca, la mar rizada,
el valle plácido, la cima helada,
¡si ya conmigo mi amor no está!
Qué más me da...

Venecias, Romas, Vienas, Parises:
bellos sin duda; pero copiados
en sus celestes pupilas grises,
¡en sus divinos ojos rasgados!
Venecias, Romas, Vienas, Parises,
qué más me da
vuestra balumba febril y vana,
si de mi brazo no va mi Ana,
¡si ya conmigo mi amor no está!

   Qué más me da...
Un rinconcito que en cualquier parte me preste abri-
                                                    (go:

un apartado refugio amigo
donde pensar;
un lib   austero que me conforte;
una esperanza que sea norte
de mi penar,
y un apacible morir sereno,
¡qué mejor cosa puedo anhelar!

IDEARIO (*)

(*) Los pensamientos, o mejor, "los sentimientos" que componen este IDEARIO, han sido seleccionados de la obra *SERENIDAD;* quintaesencia de la poética de Nervo.

IDEARIO

Busca dentro de ti la solución de todos los problemas, hasta de aquellos que creas más exteriores y materiales.

* * *

Siempre que haya un hueco en tu vida, llénalo de amor... No te juzgues incompleto porque no responden a tus ternuras; el amor lleva en sí su propia plenitud.

* * *

No hables a todos de las cosas bellas y esenciales.
No arrojes margaritas a los cerdos.
Desciende al nivel de tu interlocutor, para no humillarte o desorientarle.

* * *

Todo hombre que te busca, va a pedirte algo. El rico aburrido, la amenidad de tu conversación; el pobre, tu dinero; el triste, un consuelo; el débil, un estímulo; el que lucha, una ayuda moral... "¡En verdad os digo que vale más dar que recibir!"

¿Quieres contribuir a la liberación del mundo? Pues comienza a libertar a cada hombre de su preocupación, de su aprensión, de su prejuicio.

* * *

Bien sabes que todos tenemos hambre: hambre de pan, hambre de amor, hambre de conocimientos. hambre de paz. Este mundo es un mundo de hambrientos... Aprende a conocer el hambre del que te hable, en el concepto de que, fuera del hambre de pan, todas se esconden. Cuanto más inmensas, más escondidas...

* * *

Yo no te digo que no haya más dolores que lo que te digo es que los dolores nos hacen crecer de tal manera y nos dan un concepto tan alto del Universo, que después de sufridos no los cambiaríamos por todas las alegrías de la tierra... Yo no te digo que la riqueza sea un mal: lo que te digo es que quien vive, simplemente, en divorcio total de las vanidades, siente que le nacen alas...

* * *

Oirás frecuentemente a muchos que no encuentran a Dios.

Pregúntales si le buscan y hasta dónde llega su anhelo de hallarle.

Si le buscan con mucho ahínco, tranquilízalos, porque ya le han encontrado...

No enumeres jamás en tu imaginación lo que te falta.

Cuenta, por el contrario, todo lo que posees; detállalo si es preciso hasta con nimiedad, y verás, que, en suma, la Vida ha sido espléndida contigo...

* * *

El hombre es un ser organizado especialmente para creer. Cuando no puede creer en Dios (por indigestión de ciencia), cree en cualquier otra cosa: en un tabú, en un número, en un augurio, en la espuma del café...

* * *

La fe es algo tan necesario como la respiración. Es el punto de apoyo de la vida.

No os fíes de quienes dicen que no creen en nada: o son unos pobres de espíritu, o seres incapaces de una sola noble acción.

Cree, pues sin rubor, amigo. Si te engañan, cuando menos tuviste la dicha de haber creído.

* * *

¿Por qué aguardas con impaciencia las cosas?

Si son inútiles para tu vida, inútil es también aguardarlas.

Si son necesarias, ellas vendrán y vendrán a tiempo

* * *

Lloras a tus muertos con un desconsuelo tal, que no parece sino que tú eres eterno...

* * *

Nunca en la vida encontrarás vía libre.

El obstáculo, en todas sus formas, en todas sus magnitudes, ha de salirte al paso... hay un placer activo y viril en sortear la piedra, el hoyo, la bestia, el hombre, que nos cortan el paso...

* * *

...El dolor es como las nubes: cuando estamos dentro de él sólo vemos gris en rededor, un gris tedioso y trágico; pero en cuanto se aleja y lo dora el sol del recuerdo, ya es gloria, transfiguración y majestad.

Lo imprevisto constituye la nobleza de la vida.

* * *

Si supieras esperar, nada te pasaría; llegaría todo mejor de lo que imaginas, y te ahorrarías el tormento del miedo.

* * *

Lo que nos hace sufrir, nunca es "una tontería"... puesto que nos hace sufrir.

* * *

Cada gran pecado es como cita de mujer; antes nos parece henchido de voluptuosidades maravillosas. Después comprendemos su estupidez, su vulgaridad...

* * *

...Han fracasado los sedicentes cristianos, que no tenían de ellos más que el cascarón.

* * *

Todo es tuyo y te estás muriendo de anhelos... Las estrellas te pertenecen y no tienes lumbre en tu hogar... La naturaleza entera quiere entregársete como a su dueño y señor, y ¡tú lloras desdenes de una mujer!

Pide lo que quieras, que todo te será concedido.

* * *

¿Cuál es el verso más bello?
El que nos aclara un enigma interior.
¿Cuál es el mayor sosiego?
El del hombre que ya no espera nada de los hombres.

* * *

Decía el alma al niño medroso.
"Niño mío, no tengas miedo, ya comprenderás un día que las verdaderas *almas en pena* no son las de los muertos, sino las de los vivos".

* * *

¿...Qué es en suma la evolución sino una aristocracia perenne, móvil, ascendente, que va desde la amiba hasta Dios?

* * *

152

Indice

AMADO NERVO

Editores Impresores
Fernández S. A. de C. V.
Retorno 7-D Sur 20 N° 23
Col Agrícola Oriental